DE VIAJE

ALBERTO BUITRAGO

Colección
LEER EN ESPAÑOL

La colección LEER EN ESPAÑOL ha sido concebida
y diseñada por el Departamento de Idiomas
de la Editorial Santillana, S.A.
De viaje es una obra original de **Alberto Buitrago**
para el Nivel 2 de esta colección.

Ilustración de la portada: **Cristóbal Toral.** *Equipaje.* 1990.
Exposición Toral. Centro Cultural de la Villa de Madrid.
Foto **GARCÍA-PELAYO/Algar**

Ilustraciones interiores: **Luis González**

Coordinación editorial: **Elena Moreno**

Dirección editorial: **Silvia Courtier**

© 1997, by Alberto Buitrago

© de esta edición,
        Grupo Santillana de Ediciones, S.A.
Torrelaguna, 60. 28043 Madrid
Coedición con la Universidad de Salamanca, edición 1997

PRINTED IN SPAIN
Impreso en España por UNIGRAF
Avda. Cámara de la Industria, 38
Móstoles, Madrid
ISBN: 84-294-4230-8
Depósito legal: M-14387-1998

A mi burra Monica (sin acento),
ejemplar en vías de extinción

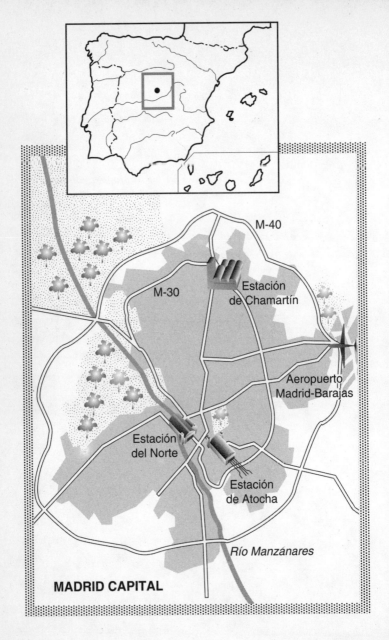

M-40

M-30

Estación
de Chamartín

Aeropuerto
Madrid-Barajas

Estación
del Norte

Estación
de Atocha

Río Manzanares

MADRID CAPITAL

Por soñar...

«Son las ocho. ¡¡Las ocho!! ¡Me he quedado dormida! ¡Ay! Pero, ¡qué tonta soy! ¡Hoy es quince de agosto[1]! ¡Es fiesta! ¡Qué bien!»

Marta quiere despertar a Frank con un beso, como siempre. Pero no lo encuentra y el beso se queda en el aire[2]... Frank no está. No oye ningún ruido en el cuarto de baño. Tampoco en la cocina.

«Seguro que ha salido a comprar el periódico y un pastel de manzana, mi preferido. Es que hoy es quince de agosto...»

Marta se da la vuelta[3] y se queda en el otro lado de la cama, en el lado de Frank. Siempre se acuesta allí cuando él no está. Frank lo sabe, y por eso le ha dejado el sobre[4] en su lado. Marta se asusta cuando siente el papel en la cara. Enciende la luz. Es un sobre grande. Dentro hay muchos papeles escritos con la letra de Frank. Empieza a leer...

Madrid, 15 de agosto de 1993

¿Te acuerdas, Marta? Hoy hace diez años... ¡Cómo pasa el tiempo! Hemos hablado mucho, quizás demasiado, de

aquel día. Y todavía no sabemos qué pasó. Bueno, eso es el amor: no saber nada y saberlo todo, no creer nada y creerlo todo, ¿verdad?

No sé por qué, pero hoy te quiero escribir. Hoy te quiero contar todo aquello sin mirarte, sin tenerte delante, sin ver tu cara. Ya es el momento. Ya escribo bastante bien en español. Bueno, eso creo yo.

Vuelvo dentro de un momento. Te quiero,

Frank

***

Marta sonríe. Sus ojos verdes se llenan de luz de luna. Lee y lee...

***

Madrid, 15 de agosto de 1983. Frank ha estado en España durante un mes estudiando español. Ahora vuelve a su país.

Estación de trenes de Chamartín. Tres de la tarde. Calor. Mucho calor... Y gente. Mucha gente. Frank lleva su pesada maleta por el suelo. Ha comprado demasiados regalos[5].

Delante de las ventanillas[6] de los billetes hay una cola[7] muy larga... Bueno hay colas, muchas colas que se mueven lentamente. Por los altavoces[8], una señorita da informacio-

nes sin parar. Frank no entiende nada. Es que –piensa él– en España la gente habla y habla todo el tiempo. Y así es imposible comprender nada. Además, los españoles siempre gritan cuando hablan...

Frank se pone en la cola que le parece más corta. Mientras va hacia la ventanilla, mueve su maleta con el pie. Y busca dentro de su cabeza las palabras que va a decir:

«Buenos días» o «buenas tardes» –piensa Frank–. Los españoles dicen «buenas tardes» sólo después de comer. Y comen casi a las tres. Tengo que decir «buenos días» porque no sé si el señor de la ventanilla ha comido ya. También voy a decir «por favor». Y después, «quiero», «es necesario», «me gusta»...; esto es más difícil. ¿Por qué en español hay muchos verbos diferentes para decir la misma cosa? Luego, «un billete», «una entrada», «un papel»... Bueno, puedo decir «tique». Eso dicen los españoles en lugar de «ticket». Pero, ¡qué mal hablan inglés los españoles! Ahora viene algo todavía peor: las preposiciones. ¡Hay más de diez preposiciones en español! ¿«A», «por», «en», «para», «hacia», «desde» o «hasta» París? ¿Cuándo usar unas u otras? Esto está en el libro, pero lo tengo en la maleta. Y ahora no puedo abrirla porque después no puedo cerrarla... Solución: escuchar a este señor que está delante de mí y decir las mismas palabras que él.

***

Marta se ríe; se ríe porque así, escrito, es bastante más divertido que contado. Y, claro, se ríe también porque sabe qué va a pasar después... La verdad es que está muy contenta. ¡Qué bien escribe Frank en español! ¡Y pensar que hace diez años no sabía hablarlo!

***

El señor de delante ya ha llegado a la ventanilla. Frank se pone un poco más cerca de él para escucharlo mejor. Pero el señor no dice nada. Sólo mueve la cabeza; la mueve mucho, arriba y abajo, abajo y arriba. Saca de un bolsillo una foto de la Plaza Mayor de Salamanca. La pone en el cristal, delante de los ojos del empleado.

—Dos. Ir y venir aquí. No fumar. Gracias.

El señor paga con un billete de cinco mil pesetas y recoge la vuelta y sus dos billetes. Guarda la foto. Sonríe. Mueve la cabeza arriba y abajo y se va. Sentada en un banco lo está esperando su mujer, que también es japonesa.

Frank llega a la ventanilla. Baja la cabeza. Mira al señor del otro lado del cristal. Muy deprisa y sin coger aire, dice:

—BuenosdíasporfavormegustaunaentradaporParís.

El señor de la ventanilla abre mucho los ojos.

—¿Qué dice?

Frank coge aire y lo intenta otra vez.

—BuenosdíasporfavorquierounaentradaparaParís.
—Oiga, esto no es un cine —contesta el empleado.

–BuenosdíasporfavorquierounaentradaparaParís.

–*Oiga, esto no es un cine* –contesta el empleado.

–*Perdón, no entiendo.*

–*Digo que esto no es un cine, que aquí no puede ver películas.*

–*No entiendo. Perdón.*

–*Tiene que decir «billete». Las entradas son para el cine y para el teatro.*

Frank intenta pensar. Intenta coger las palabras con las manos.

–*Entiendo. Sí. Perdón... Buenos días...*

–*Buenas tardes, porque ya he comido...*

Frank está enfadado y dice algo en su idioma. El empleado le sonríe.

–*¿Qué?*

–*No. Nada... Buenas tardes... Por favor, quiero un billete para París.*

–*Así. Muy bien. ¿De ida y vuelta o sencillo? ¿Fumador o no fumador?*

–*No entiendo.*

Muchos españoles creen que los extranjeros son sordos[9]. Piensan que sólo entienden si les gritas. El empleado que vende los billetes es uno de éstos. Mira a Frank. Coge aire, mucho aire. Después cierra los ojos y empieza a gritar:

–*¿DE IDA Y VUELTA O SENCILLO? ¿FUMADOR O NO FUMADOR?*

–*No entiendo.*

–*¿QUIERE EL BILLETE DE IDA Y VUELTA O SENCI-
LLOOOOO?* –*grita el empleado todavía más fuerte.*

–*No entiendo.*

–*¿FUMA O NO FUMAAAAA...?*

–*No entiendo.*

–*Pues yo no puedo hablar más alto.*

–*No entiendo.*

–*¡¡¡NO PUEDO HABLAR MÁS ALTOOOOOOOOOOO-
OOOO...!!!*

–*Tiene que hablar más despacio y no más alto. Este chico es extranjero, no sordo. Oye muy bien* –*dice alguien detrás
de Frank.*

*Frank se da la vuelta. En la cola, detrás de él, hay una
chica rubia. Es alta y tiene los ojos verdes. No parece españo-
la. Y es guapa, muy guapa...*

***

Marta no puede leer más. Las letras se mueven en sus
ojos como la luna en el agua.

«¡Qué mentiras cuentas!», piensa mientras se levanta.
Cuando vuelve a la cama, lleva un bolígrafo en la mano.
Con él escribe por detrás del papel:

«Frank se da la vuelta. Quiere pedir ayuda. Detrás de
él hay una chica alta y rubia. La mira con la boca abierta.

Ella le sonríe. Va hacia la ventanilla y le dice al señor del otro lado del cristal:

—Tiene que hablar más despacio y no más alto. Este chico es extranjero, no sordo.»

***

Frank está un poco nervioso.

—*No entiendo —le dice a la chica.*

—*Tranquilo. No pasa nada. ¿Adónde vas?*

—*A París.*

—*¿Ir y venir?*

—*Ir. No venir.*

—*¿Cuándo?*

—*Hoy. Dieciocho veinte.*

—*¿Fumas?*

—*No, gracias.*

El señor de los billetes tiene la cabeza casi fuera de la ventanilla.

—*Este chico quiere un billete de ida a París, no fumador, para el tren de las seis y veinte de esta tarde... ¿Ha visto qué fácil?*

El señor la mira con los ojos abiertos como platos.

—*Señorita, ¿le puedo hacer una pregunta?*

—*Sí, claro.*

—*¿Por qué a usted la ha entendido y a mí no?*

Ella no contesta, sólo sonríe. Frank no sabe qué decir.

–Gracias. Muchas gracias para todo –dice por fin.

–De nada. Y tienes que decir «gracias por todo».

–Gracias por todo.

Adiós.

–Adiós.

Frank deja a la chica en la ventanilla. Después la ve coger su maleta e irse con un billete en la mano. Él la sigue con la mirada, con una mirada tonta. Se ha enamorado[10]. Ahora. Tres horas antes de volver a su país para siempre... Bueno, quizás no para siempre. Se ha enamorado en una estación. Se ha enamorado sin querer. Se ha enamorado de una mujer y no conoce su nombre. Se ha enamorado de una mujer sin saber que ella también se ha enamorado de él.

***

Marta no se ha dado cuenta de que ha perdido una lágrima[11].

***

Sólo hay una cosa más triste que sentirse solo: sentirse solo en una estación de tren o en un aeropuerto. No recibir a nadie, no decir adiós a nadie. Y Frank, por primera vez en su vida, se siente solo.

Ella ha entrado en una cafetería[12] y se ha sentado cerca de los cristales. Él, sentado en un banco, la mira todo el tiempo.

En ningún momento ha pensado en hablar otra vez con ella. Frank piensa que las historias de amor pasan siempre delante de nosotros. A veces no nos damos cuenta, y se van: son las historias de amor para soñar. Otras veces las vemos pasar: son las historias de amor para escribir.

Él tiene ahora todas las cosas necesarias para escribir una preciosa historia de amor: una estación, un billete a París, unos ojos verdes, una mirada y un adiós. Mucho y poco. Todo y nada. Verdad y mentira. Pero así tiene que ser...

***

Marta deja caer otra lágrima sobre el papel. Ahora comprende por qué Frank le ha escrito esta historia conocida. Hay cosas muy difíciles de decir... Cosas que son sólo para escribirlas...

***

«El tren a París se encuentra en la vía[13] dos, andén[14] tres. Va a salir dentro de treinta minutos. Señores viajeros, por favor, vayan a los andenes» –dice un altavoz.

Frank sólo entiende «tren, París, treinta minutos». Le parece que tiene mucho tiempo todavía.

«¿Y si ella también va a París? —se pregunta—. No. No puede ser. Lleva una maleta muy pequeña... Bueno, quizás va a estar poco tiempo. No. No va a París. Está todavía en la cafetería y el camarero le ha llevado algo para comer... Media hora. Hay tiempo... y por soñar no hay que pagar. No. No va a París y ya se ha olvidado de mí.»

Cada vez hay más gente en la estación y Frank cada vez se siente más solo, más triste, más tonto. Ella sigue en la cafetería. Ya se ha comido el bocadillo. Parece que también ha terminado su café. Y todavía no lo ha mirado.

***

Marta coge otra vez el bolígrafo. Por encima de «bocadillo» escribe «pastel de manzana»; por encima de «café» escribe «té»; por encima de «y todavía no lo ha mirado» escribe «y ya lo ha mirado mil veces».

***

«El tren a París va a salir dentro de quince minutos. Señores viajeros, suban al tren, por favor» —dice el altavoz.

Por primera vez ella lo mira. Bueno, por primera vez él ve que ella lo mira. Él, claro, no sabe qué hacer y mira hacia otro lugar. Su mirada encuentra el panel[15] con los horarios[16] de los trenes. Busca el tren de París. Once minutos. Sólo tiene once minutos. Todo o nada en once minutos. Mira otra vez hacia la cafetería. Ella no está. Se ha ido. La busca con la mirada... Y la encuentra. Allí está, delante de él, muy cerca. Le dice:

—Tú vas a París, ¿verdad?

—Sí, París.

—¿Sabes que el tren sale dentro de diez minutos?

—No entiendo. Perdón.

—El tren. Diez minutos. Se va.

—Sí... Gracias por todo.

—De nada. Adiós. Buen viaje.

—Adiós.

Y otra vez Frank ve cómo ella se va. Y ve cómo baja las escaleras hacia los andenes...

«Ya está. Se acabó —se dice—. Ha sido una bonita historia de amor. Una historia de amor de una hora. Mejor así. No debo seguirla. Sí. Mejor así. No. No debo seguirla...»

***

«¡Qué bonito! —piensa Marta—. Esto no me lo había dicho nunca.» Y llora... Y llora...

***

17

Y Frank sueña. Sueña que ella duerme a su lado, con la cabeza sobre su hombro. Y sueña que están solos en el tren. Y sueña que van a París.

El tren es muy largo. Ya se está moviendo cuando Frank llega al andén. Abre una puerta, la primera puerta que encuentra. Mete dentro la maleta y sube al tren. Está casi lleno. Sólo hay dos sitios libres, el suyo y otro al lado del suyo.

«Éste es el sitio de ella —piensa Frank—. Seguro que es su sitio... Por soñar no hay que pagar.» Y sueña. Se queda dormido y sueña que ella está allí, en ese tren. Sueña que ella duerme a su lado, con la cabeza sobre su hombro[17]. Y sueña que están solos en el tren. Y sueña que van a París. Porque hoy hace diez años que están juntos.

Y se despierta. Y están solos en el tren. Y ella duerme con la cabeza sobre su hombro. Y alguien abre la puerta. Y entra un señor vestido de azul.

—¿Puedo ver sus billetes, por favor?

—Perdón. No entiendo.

El revisor[18], claro, grita:

—SUS BILLETES, POR FAVOR.

—No entiendo. Soy extranjero. No soy sordo. Más despacio, no más alto.

Ella abre los ojos. Mira al revisor. Lo mira a él y le dice:

—Dame tu billete.

***

Marta limpia las lágrimas de sus ojos y deja la carta en el suelo. Ha oído la llave. Frank entra en la cocina y prepara el café. Después lleva el desayuno a la cama. Hoy es quince de agosto... Sabe que Marta no está dormida. Le da un beso.

—Felicidades, amor.

Marta parece despertarse en ese momento.

—¿Qué pasa? ¿Qué haces?

—Desayuna... No sabes hacer teatro...

—Es que... Estoy un poco dormida...

—Sí, sí... Desayuna; se está quedando frío el café...

—Sí... Gracias, amor. ¿Por dónde empiezo?

—Empieza por el café, por el pastel de manzana que te he traído o por el regalo.

—¿Qué regalo?

—Toma. Abre este sobre.

Marta lo abre. Dentro hay dos billetes de tren, para no fumadores, ida y vuelta. A París.

—¿Sabes? En la ventanilla está el mismo empleado de hace diez años.

DESPIÉRTAME
A LA HORA DE CENAR

I

La azafata[19] sonríe mientras lo mueve suavemente.

—Buenos días, señor. Señor... Hemos llegado... Señor... Estamos en Sydney.

Él, con los ojos cerrados, intenta también sonreír. Se da la vuelta[3] y se duerme otra vez.

—Señor... Señor, por favor. Estamos en el aeropuerto. Tiene que bajar del avión y recoger sus maletas...

Él abre un ojo e intenta hablar.

—¿Qué hora es? ¿Es ya la hora de cenar, Toñi? Tengo hambre... Quiero paella... Paella...

La azafata no sabe qué decir...

—Señor, son las nueve de la mañana, hora de Sydney, diez horas menos en España... Y aquí no hay paella.

—Pues yo quiero paella, Toñi. Tu paella... ¡Qué rica!

—¡Uf!... ¡Cuántas veces le tengo que decir que yo no me llamo Toñi! —dice la chica un poco nerviosa—. Me llamo Marina. Soy la azafata y no sé hacer paella. Está usted dentro de un avión, en el aeropuerto de Sydney, en Australia. Este avión viene de Madrid, España. Y hace ya más de media hora que hemos llegado. Tiene que bajar del avión. ¿Me oye?

Él levanta los brazos y coge a la chica por los hombros. Le da un beso en la cara.

—Eres maravillosa, mi amor... Tengo mucho sueño... Hoy es domingo... Mi mujer está pasando el fin de semana en casa de sus padres... Podemos quedarnos más tiempo en la cama.

La azafata, ya muy nerviosa, le grita:

—Señor... Tiene que despertarse... Por favor... Señor...

Él no se mueve.

—Ven conmigo a la cama, Carlota, mi Carlotita...

El hombre parece feliz, muy feliz. La chica pide ayuda a sus compañeros. Lo mueven. Le gritan. Nada. Es imposible. Lo cogen en brazos y lo levantan. Él le da un beso al piloto[20].

—Ay, mi Carlotita... Ay, mi amor. Pronto nos iremos tú y yo a Australia. Tú y yo. Yo y tú. Solos para siempre.

La azafata sonríe...

II

*T*OÑI ha encontrado una carta en un bolsillo de la chaqueta de su marido. La ha escrito una mujer, Carlota Ramírez Solís; eso pone en el sobre[4].

«Federico, mi amor...

¿Cuándo vienes a buscarme? ¿Cuándo dejas a esa mujer gorda y fea que tienes? ¿Cuándo nos vamos a Australia tú y yo solos?

Te espero con todo mi amor,

Tu Carlotita»

Primero Toñi piensa en matarlos a los dos. Piensa después en buscar a esa Carlotita y decirle con lágrimas[11] en los ojos: «Señora, yo no puedo vivir sin Federico... Él es todo para mí». O algo parecido... Pero no... Tampoco... Hay algo mejor... Mucho mejor que todo eso...

Toñi se viste rápidamente y sale a la calle. Hace un día precioso de primavera. El aire[2] limpio de la mañana la ayuda a pensar. Después de un largo paseo, entra en una agencia de viajes[21].

—Hola, buenos días.

–Buenos días, señora, ¿puedo ayudarla?

–Sí... Quiero comprar un billete de avión para Sydney, Australia.

–Muy bien. Siéntese, por favor.

–Gracias.

–¡Hey! Buenos-días, señor. Muy-bonita-Galicia. Muy-bonita-España. Señor...
–¿Qué pasa? ¿Qué es esto? ¿Dónde estoy?

III

AHORA duerme en una habitación del aeropuerto de Sydney, sentado en un sillón. A su lado, un policía que sabe un poco de español —su madre es de Orense y su padre de Santiago de Compostela— intenta hablar con él. El policía habla muy despacio y dice cada palabra con mucho cuidado.

—Hola, señor. Buenos-días, señor. ¿Cómo-está-usted? Me-llamo-Johnny-Vieira, pero-me-puede-llamar-Juan-o-Juaniño[22]. Mi-padre-es-de-Santiago-de-Compostela. Mi-madre-es-de-Orense. Y-usted, ¿cómo-se-llama? ¡Hey![23] Buenos-días. Señor.

El hombre levanta la cabeza. Intenta abrir muy despacio los ojos. Tiene la boca seca.

—Agua, por favor. Tengo sed. Tengo mucha sed.

El policía Juaniño parece simpático. Es alto, gordo y rubio, y tiene la cara roja. No sonríe tan bien como la azafata, pero lo intenta.

—¡Hey! Buenos-días, señor. Muy-bonita-Galicia. Muy-bonita-España. Señor...

—¿Qué pasa? ¿Qué es esto? ¿Dónde estoy?

—Sydney. Nueva-Gales-del-Sur. Australia.

Por fin Federico parece despertarse.

—¿En Sydney? ¿En Australia? ¿Y qué hago yo aquí?

—Yo-no-sé. ¿Tiene-usted-pasaporte?

—¿Pasaporte? Creo que no. Nunca me llevo el pasaporte a la cama.

Federico busca en su chaqueta. En un bolsillo hay algo... El pasaporte.

—¿Puedo-ver?

El policía le quita el pasaporte de las manos. Lo abre. Coge aire y lee:

—Federico-*Mártin*-Santana.

—Martín...

—*Sorry*. Martín-Santana[24]. ¿Tenis?

—¡Qué simpático!

—¿*Sorry*?

—No. Nada. Nada...

—Calle-Dos-de-Mayo-Ocho-Tercero-Be. Dos-Ocho-Cero-Cuatro-Cuatro. Madrid. ¿Real[25]?

IV

*F*EDERICO *entra en casa. Está contento. Ha hecho un buen* *negocio*[26] *y ha ganado mucho dinero. Su mujer, como siem-* *pre, lo está esperando en el salón.*

–¿*Qué tal esta mañana?*

–*Bien. Muy bien. Maravillosa. ¿Qué comemos?*

–*De primer plato, paella. De segundo, carne con patatas.*

–¡*Qué bien! Tengo un hambre...*

Toñi hace una paella estupenda. Esta vez también huele *muy bien, pero está un poco más amarilla que otros días.* *Quizás es porque le ha puesto muchas pastillas*[27] *para dor-* *mir... Treinta y cinco pastillas.*

Federico termina su plato rápidamente. No se ha dado *cuenta de nada. Toñi sonríe. Así parece la azafata de un* *avión.*

–¿*Te gusta?*

–*Está muy rica, mi amor. Cada día haces mejor la pae-* *lla. ¿Tú no la comes?*

–*No. La verdad es que no tengo mucha hambre... Sólo* *voy a comer un poco de carne con patatas. ¿Quieres otro pla-* *to de paella?*

–*Sí, por favor... ¡Qué buena está!*

Mientras comen, hablan, como siempre, del tiempo y del trabajo. Del trabajo y del tiempo. Del trabajo. Del tiempo. Del trabajo. Del tiem... Federico cierra los ojos. Se siente muy cansado.

—Qué sueño tengo... Y no lo entiendo, porque esta noche he dormido muy bien...

—¿No comes el segundo plato?

—No. Me voy a dormir la siesta. Por favor, despiértame a la hora de cenar.

Federico se acuesta en la cama sin quitarse la ropa ni los zapatos. Se duerme rápidamente. Toñi espera unos minutos. Luego, llama por teléfono.

—¿Ambulancias El tiempo es oro?... Hola, buenas tardes... Me llamo Antonia Riesco. Vivo en la calle 2 de mayo, número 8, tercero B... Sí, sí... B de Barcelona... ¿Pueden venir a recoger a mi marido?... No, no ha tenido un accidente. No es nada importante... Es que tiene que ir al aeropuerto... No, no se ha roto una pierna... No... Tampoco un brazo... ¿Me quiere dejar hablar, por favor?... Muchas gracias... Le ha pasado algo un poco extraño. Es que hemos estado de vacaciones en un país de África.... Sí, sí, en África... Y allí ha cogido la enfermedad del sueño[28]... Oiga, pero no se ría. Le estoy hablando en serio... Sí... Eso es... Se duerme y él no se da cuenta. Después se despierta, pero puede estar durmiendo una hora o todo un día. Ahora se ha dormido y su avión sale dentro de tres horas... A Australia. A Sydney... ¿Qué?... ¿Por qué va a Australia? Oiga, me parece que a usted eso le da igual... ¿Qué dice?... ¿Que por qué no lo llevo yo?... No... Yo no puedo cogerlo en brazos... Claro, es muy pesado... Sí... Muy bien... De acuerdo... Sí, media hora... Entonces los espero. Gracias. Hasta luego.

V

La policía australiana ha llamado por teléfono al consulado[29] de España. Al aeropuerto ha llegado un señor muy serio. Va vestido de negro, como todos los señores que trabajan en los consulados. Lleva unas gafas muy pequeñas, como todos los señores que trabajan en los consulados. Baja la cabeza, como todos los señores que trabajan en los consulados. Le quiere hablar a la corbata, como todos los señores que trabajan en los consulados.

—¿Y dice que no es suyo este billete de avión?

—No. Ya le he dicho que yo no lo he comprado.

—No lo puedo entender... No lo ha comprado, pero es suyo...

—No. No es mío porque yo no lo he comprado.

—Pero en él está escrito su nombre.

—Pues seguro que el billete es de otra persona que se llama como yo.

—Ya... Claro... Si no le he entendido mal, usted no ha ido al aeropuerto de Madrid, ¿verdad? Y dice que no ha subido al avión...

—Eso es. Yo estaba tranquilamente en mi casa, en Madrid. He comido una paella estupenda que ha preparado mi mujer. Tenía mucho sueño. Me he acostado para dormir la siesta y ahora estoy soñando.

—Perdón... ¿Qué ha dicho usted? ¿Ha dicho «mi mujer»?

—¡Mi mujer! Pues, ¡claro! ¡Un teléfono! ¡Por favor! ¿Dónde hay un teléfono?

Toñi busca un nombre en los buzones.
—¡Aquí está! ¡Ésta es! Carlota Ramírez Solís... Sexto derecha.

VI

*L*A ambulancia llega al aeropuerto. Toñi, antes de salir de casa, ha llamado a la compañía aérea[30]. Ha dicho que su marido tiene la enfermedad del sueño y que va a hacer parte del viaje dormido.

Un empleado del aeropuerto está esperando. Toñi le da el billete y mete el pasaporte en un bolsillo de la chaqueta de su marido.

—Dejo aquí el pasaporte —dice Toñi—. Si la policía quiere verlo, ya sabe usted dónde está.

Le da las gracias al empleado y un beso a Federico.

—Adiós. Buen viaje.

Toñi sale del aeropuerto y coge un taxi. Está contenta, muy contenta...

El taxi se para en el centro de la ciudad delante del portal de una casa. Toñi se pone un pañuelo en la cabeza y unas gafas de sol muy oscuras.

—Espéreme aquí, por favor.

Toñi mira a la derecha y a la izquierda y entra muy deprisa. Enciende la luz y busca un nombre en los buzones[31].

—¡Aquí está! ¡Ésta es! Carlota Ramírez Solís... Sexto derecha.

35

Toñi saca un papel de su bolso y lo mete dentro del buzón. En el papel ha escrito:

«Carlota:

Ahora mismo Federico está en Australia... Sí, se ha ido a Australia, pero no contigo. Se ha ido con su mujer, con esa gorda fea... ¿No te lo crees? ¿No has visto que he escrito esto en una fotocopia de su billete de avión?

Olvídate de él. Él ya se ha olvidado de ti.

A. R.»

VII

FEDERICO llama por teléfono a su casa. Parece que no hay nadie. El contestador automático[32] empieza a funcionar:

«¡Hola! Soy Toñi. No estoy en casa y Federico se ha ido a Australia. Si quieres, puedes dejar tu nombre y número de teléfono. Luego te llamo. Gracias.»

Federico empieza a entenderlo todo. Busca otra vez en su chaqueta. Por dentro, en un bolsillo, encuentra un papel: la fotocopia de un billete de avión, de su billete de avión. Por la otra parte hay algo escrito. Es la letra de Toñi:

«Carlota:

Ahora mismo Federico está en Australia... Sí, se ha ido a Australia, pero no contigo. Se ha ido con su mujer, con esa gorda fea... ¿No te lo crees? ¿No has visto que he escrito esto en una fotocopia de su billete de avión?

Olvídate de él. Él ya se ha olvidado de ti.

A. R.»

La cara de Federico cambia de color. Blanca, amarilla, roja, azul... El empleado del consulado se asusta.

–¿Qué le pasa, amigo?

Federico empieza a reír.

—Mi mu... ¡Ja, ja, ja!... Mi mu... ¡Ja, ja, ja!...

—Su mu... ¿qué?

—Mi mujer... ¡Ja, ja, ja!...

—¿Qué le pasa a su mujer?

—Que es más lista que yo. ¡Ja, ja, ja!...

—Bueno, hombre, eso no es nada extraño... La mía también es más lista que yo. Pero no entiendo por qué se ríe usted...

—Es verdad. ¡Ja, ja!... No sé por qué me río... ¡Ja!... ¿Me invita a una copa? He venido a Australia sin dinero, ya ve.

—Claro que sí... Vamos. El bar está por allí.

—¿Sabe una cosa? Creo que usted y yo vamos a ser muy buenos amigos.

SOBRE LA LECTURA

Para comprobar la comprensión

¿Verdadero o falso?

POR SOÑAR...

1. *Cuando Marta se despierta, Frank está durmiendo a su lado.*
2. *En el lado de la cama de Frank, Marta encuentra un regalo que le ha dejado allí Frank.*
3. *En el sobre hay muchos papeles con la letra de Frank.*
4. *En una carta, Frank le dice que le ha escrito lo que ocurrió hace diez años; quiere contárselo sin tenerla a ella delante.*
5. *Hace diez años, Frank hablaba y entendía muy bien el español.*
6. *La historia que le ha escrito Frank a Marta ocurre en el aeropuerto de Madrid.*
7. *Para comprar su billete de tren, Frank repite las mismas palabras que el señor que estaba delante de él.*
8. *Para hacerse comprender por Frank, el empleado de la ventanilla le grita cada vez más.*
9. *Una chica que está en la cola, detrás de Frank, le ayuda a comprar su billete para París.*

10. *Para Marta, todas las cosas que ha escrito Frank son mentira. Por eso, empieza a escribir toda la historia otra vez.*

11. *Frank no entiende al empleado de la ventanilla, pero sí a Marta; ésta no le grita, le habla más despacio.*

12. *Después de comprar su billete, Frank se olvida de Marta.*

13. *Marta ayuda otra vez a Frank en la estación: le dice que tiene que ir al andén; su tren va a salir muy pronto.*

14. *Frank sueña que la chica y él viajan juntos hacia París.*

15. *Lo que sueña Frank es mentira.*

16. *Frank le regala a Marta un billete de avión para Londres.*

DESPIÉRTAME A LA HORA DE CENAR

I

17. *El avión que ha llegado a Sydney salió de Madrid.*

18. *La azafata consigue despertar al hombre que estaba dormido.*

II

19. *Toñi encuentra en la chaqueta de su marido una carta escrita por una mujer.*

20. En esa carta, la mujer, Carlota, le pregunta cuándo se van a ir juntos a Australia.
21. Toñi decide matarlos a los dos: a su marido y a Carlota.

III

22. Federico no lleva su pasaporte encima.

IV

23. Toñi ha puesto muchas pastillas para dormir en la paella.
24. Federico se da cuenta de que la paella no está como otros días.
25. Toñi llama a una ambulancia: tienen que llevar a su marido al aeropuerto.

V

26. Con el señor del consulado, Federico por fin se acuerda de cuándo y cómo subió al avión.
27. Con el señor del consulado, Federico se acuerda de repente de su mujer y decide llamarla por teléfono.

VI

28. El empleado del aeropuerto no deja a Federico subir al avión porque está dormido.

29. *Toñi va a casa de Carlota para hablar con ella. Quiere decirle que sin Federico no puede vivir.*

VII

30. *Federico llama a su casa, y su mujer le cuenta todo lo que ha ocurrido.*
31. *Federico lo entiende todo cuando encuentra en su chaqueta una fotocopia de su billete de avión.*

Para hablar en clase

1. *Igual que Frank en la ventanilla de billetes, ¿ha tenido alguna vez problemas para conseguir algo por no saber bien una lengua? ¿Cuándo? ¿Qué le ocurrió? ¿Le ayudó alguien?*

2. *¿Cree usted, como Frank, que los españoles hablan y hablan todo el tiempo y además gritan mucho?*

3. *Frank se enamora de Marta desde el primer momento que la ve. ¿Se ha enamorado usted así alguna vez? ¿Cree que un amor así puede salir bien?*

4. *¿Piensa usted que en la realidad puede ocurrir algo parecido a lo que pasa en* Despiértame a la hora de cenar? *¿Por qué?*

5. *¿Cuál de las dos historias le ha gustado más:* Por soñar... *o* Despiértame a la hora de cenar? *¿Por qué? ¿Qué idea del amor se presenta en cada una de estas historias?*

6. *¿Qué piensa usted del amor? ¿Es necesario? ¿Por qué? ¿Cree usted que se puede sentir amor hacia una misma persona toda la vida? ¿Por qué?*

NOTAS

Estas notas proponen equivalencias o explicaciones que no pretenden agotar el significado de las palabras o expresiones siguientes sino aclararlas en el contexto de *De viaje*.

m.: masculino, *f.*: femenino, *inf*: infinitivo

1 **15 de agosto:** día de fiesta en España en que se celebra la Asunción de Nuestra Señora, o sea, el momento en que la Virgen María, la madre de Dios, subió a los cielos.

2 **aire** *m.:* gas que está alrededor de la Tierra, formado principalmente por oxígeno y nitrógeno, y que respiran los seres vivos.

3 **se da la vuelta** (*inf.:* **darse la vuelta**): se mueve para colocarse en la posición contraria.

sobre

4 **sobre** *m.:* papel doblado y pegado donde se meten cartas, tarjetas u otros papeles para enviarlos por correo o guardarlos.

5 **regalos** *m.:* cosas que una persona da a otra como muestra de cariño, de amistad, para darle las gracias o por otro motivo.

6 **ventanillas** *f.:* ventanas pequeñas en una pared por donde los empleados atienden al público en estaciones de trenes, bancos, etcétera.

7 **cola** *f.:* fila de personas que esperan en orden para hacer algo.

8 **altavoces** *m.:* aparatos que se usan para hacer un sonido más intenso.

cola

vía

panel

9 **sordos:** que no oyen o que oyen muy poco.

10 **se ha enamorado** (*inf.:* **enamorarse**): ha empezado a sentir amor.

11 **lágrima** *f.:* líquido que asoma a los ojos y cae por la cara cuando se está llorando.

12 **cafetería** *f.:* lugar donde va la gente a tomar café y otras bebidas y comidas.

13 **vía** *f.:* camino, carril por donde va el tren.

14 **andén** *m.:* en las estaciones de trenes o del metro, acera que está al lado de una **vía** (ver nota 13) y por donde los viajeros pasan cuando van a subir al tren o se bajan de él.

15 **panel** *m.:* superficie plana (de madera, metal, etc.) con información; tablero de anuncios.

16 **horarios** *m.:* información dispuesta de forma ordenada sobre las horas de salida y llegada de los trenes.

17 **hombro** *m.:* cada una de las partes del cuerpo de donde salen los brazos.

18 **revisor** *m.:* persona que, en los transportes públicos como el tren o el metro, comprueba los billetes de los viajeros.

19 **azafata** *f.:* mujer que trabaja en los aviones y que se ocupa de los viajeros.

20 **piloto** *m.:* persona que conduce un avión.

**emblema
del Real Madrid**

21 **agencia de viajes** *f.:* oficina que se ocupa de organizar viajes (de reservar los billetes, las habitaciones de un hotel, etc.) para sus clientes.

22 **Juaniño:** Juanito, diminutivo de Juan. En Galicia es corriente formar los diminutivos añadiendo «-iño», «-iña» a los sustantivos y adjetivos, en lugar de «-ito», «-ita».

23 **¡Hey!:** expresión admirativa que se ha hecho famosa a partir de una canción del mismo título del cantante español Julio Iglesias.

24 **Santana** (Manuel): jugador de tenis español, nacido en 1938. Ganó entre otros torneos, el de Roland Garros (1961 y 1964), Forest Hill (1965) y Wimbledon (1966). Se retiró del tenis en 1973.

25 **Real:** el policía se está refiriendo al Real Madrid, uno de los más importantes clubes de fútbol español.

26 **negocio** *m.:* operación de compra o venta en la que se puede ganar dinero o conseguir un beneficio.

27 **pastillas** *f.:* piezas pequeñas con sustancias medicinales, generalmente redondas y que se toman por la boca.

pastillas

28 **enfermedad del sueño** *f.:* problema de salud muy grave que produce fiebre, dolor de cabeza y un sueño profundo y prolongado. La **enfermedad del sueño** es transmitida por la mosca tse-tse, que vive en zonas de África central y occidental.

29 **consulado** *m.:* oficina donde trabaja el cónsul y otras personas que, en un país extranjero, se encargan de diversas funciones administrativas y de defender a las personas de su país y los intereses de éstas.

30 **compañía aérea** *f.:* empresa de transporte de personas y mercancías por medio de aviones.

buzón

31 **buzones** *m.:* en una casa, cajas donde el empleado de Correos deja las cartas, postales y otros documentos, y de donde los recogerá la persona a la que van dirigidas.

32 **contestador automático** *m.:* aparato que contesta a las llamadas telefónicas de una persona cuando no está en casa.